Estamos
en la prehistoria.
Hace mucho
que el frío no cesa.
Nada brota bajo la nieve.
El único medio de supervivencia
de los Cro-Magnon es la caza.
A menudo hay que cambiar
de territorio para encontrarla.

Traducción al español: Julia Vinent
© 2001, Editorial Corimbo por la edición en español
1ª edición, marzo 2001
© 1999, l'école des loisirs, París
Título de la edición original: «Cromignon»
Impreso en Francia por Mame Imprimeurs, Tours

Michel Gay

croniñón

Editorial Corimbo

Barcelona

Esta mañana, Croniñón quisiera ir de caza con los demás.
También tiene mucha hambre.
No debe acompañarlos. Es demasiado pequeño para cazar.

Su madre lo retiene en la cueva.
Podría comérselo un león, como a su padre.
A veces, el cazador es el cazado.

Mientras esperan el regreso de los cazadores,
las madres quiebran huesos para chupar la médula.
A Croniñón no le gusta la médula.

En vez de chupar, sopla a través del hueso.
Se da cuenta entonces de que ha dejado una marca en la roca.

Croniñón repite el proceso con cuidado.

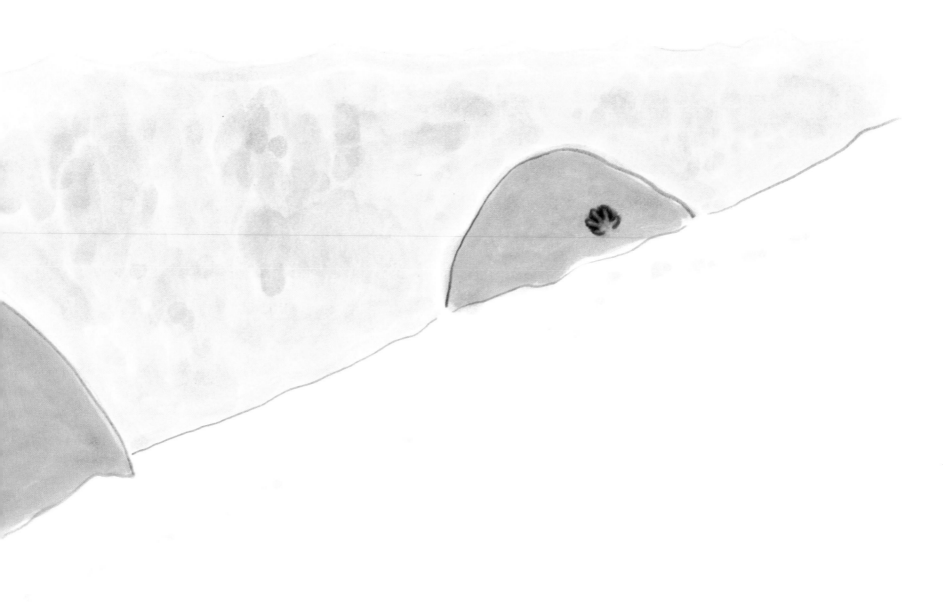

Deja su huella en cada roca que le parece una pieza de caza.

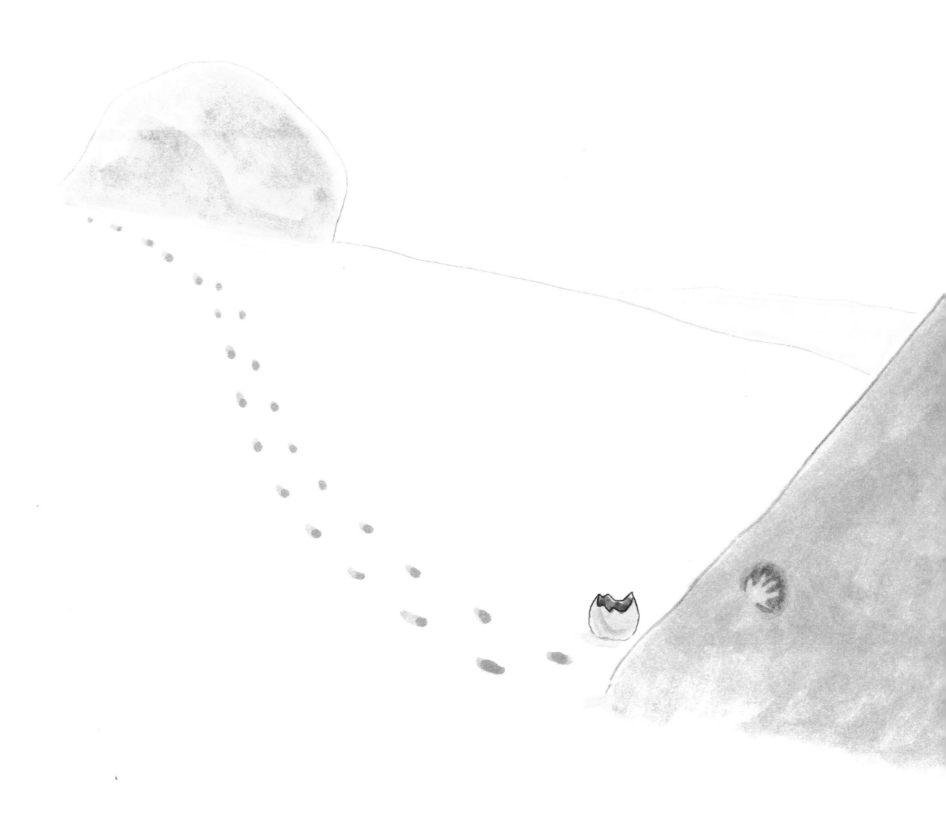

Croniñón es un cazador formidable.
Ha abatido ya tres jabalíes, cinco bisontes y dos osos.

Ahora Croniñón quiere cazar aquella pieza tan grande de allí.

Pero, ¡se mueve! Es de verdad.

Va directa hacia Croniñón, como una montaña …

Es un mamut. Croniñón no había visto nunca ninguno. Tiene mucho miedo.
Pero el mamut se interesa por el árbol de al lado.
Lo arranca con la misma facilidad que si fuera un rábano.

Croniñón se ha escondido bajo una roca.
Escucha cómo el mamut tritura el corazón del árbol.

El mamut se ha dado un festín con toda calma.
Cuando Croniñón sale por fin de su escondite ya es de noche.

Sus huellas en las rocas lo ayudan a encontrar el camino hacia la cueva.

La madre de Croniñón estaba muy preocupada.
«¡Allí, gran caza!», dice Croniñón. «¡Mucha comida!»

Baila imitando el mamut.
Los Cro-Magnon creen que simula ser un pájaro.

Luego Croniñón dibuja sobre la roca con un carboncillo.
Los cazadores han regresado con las manos vacías.

Miran atentamente el dibujo de Croniñón.
«¡Gran caza!», insiste Croniñón. «¡Caza enorme!»

Algunos cazadores han oído hablar de aquella bestia descomunal.
Todos quieren saber dónde está.

Croniñón sigue las marcas de las rocas.
Los cazadores siguen a Croniñón.

Cuando llegan a la última huella de Croniñón,
los cazadores descubren las del mamut.

«¡Esperadme! ¡Esperadme!», grita Croniñón.

Pero los cazadores no esperan. Corren a matar su presa.

El mamut está muerto.
Ahora Croniñón consigue alcanzarlo también.

Es tan enorme que todos los cazadores tendrán su parte que llevar a la cueva.
Las madres estarán contentas.

La caza no proporciona sólo comida.

También aporta huesos y piel.

Todo sirve. No hay que dejar nada.

Los Cro-Magnon han recobrado las fuerzas.
Con los huesos del mamut, los cazadores han fabricado utensilios.
Con la piel, las madres han confeccionado ropa de abrigo.

Y, con la cola, Croniñón se ha hecho un pincel.